MW00769582

Publicação independente

Título: RESSACA

Autor: Leandro Krauss

ISBN: 978-65-01-07726-0

Primeira Edição: 2024

Capa design & Fotografia de Leandro Krauss

CO NTE ÚDO

@OREVERBO | LEANDRO KRAUSS | 2024

Eu quero dedicar este livro à minha mãe.

A minha mãe sempre apoiou o meu processo criativo, desde que eu era criança. Lembro-me como se fosse hoje que foi ela quem me colocou na minha primeira aula de piano, na minha primeira aula de artesanato, na minha primeira aula de canto, na minha primeira aula de pintura em tela, na minha primeira aula de redação e escrita.

Eu dedico este livro a você, minha mãe, por ter enfrentado o mundo para dar espaço à minha arte.

Leandro Krauss, Guigó

Prólogo

Nada me reseta como o mar.

O mar guarda em suas profundezas segredos e mistérios, assim como o nosso subconsciente. Em dias de ressaca, as ondas revoltas e imprevisíveis lembram os momentos de turbulência que todos enfrentamos em nossa caminhada pela vida.

A ressaca do mar é um espetáculo poderoso, um reflexo fiel das tempestades emocionais que nos acometem.

Assim como o mar se agita e depois se acalma, nossas vidas são marcadas por ciclos de paz e tumulto (o famoso caos). E a ressaca do mar, com sua força é um lembrete constante de que a natureza tem seu próprio ritmo, indiferente aos nossos desejos e necessidades. É um lembrete para a gente se colocar no nosso lugar, todos os dias. Da mesma forma, nossas emoções e conflitos internos têm seu próprio curso, muitas vezes nos pegando de surpresa, nos desestabilizando e nos forçando a confrontar as profundezas de nosso ser.

A força do mar em ressaca é um fenômeno que nunca deixa de me fascinar. Eu fico encantando. A cada onda que se quebra violentamente contra as pedras, vejo uma parte de mim sendo levada...

É um processo de limpeza, um ritual de renovação. O mar não pergunta, não se desculpa. Ele simplesmente é. Sua força bruta e indomável me lembra de minha própria vulnerabilidade, de como sou pequeno diante da vastidão do universo.

Em noites de tempestade, quando o céu e o mar se encontram em um balé caótico de trovões e relâmpagos, sinto uma conexão profunda comigo mesmo. Há algo de primitivo e misterioso em estar diante de uma força tão imensa e incompreensível. O rugido do mar, os ventos uivantes e os clarões no céu compõem uma sinfonia que ressoa nas profundezas da minha alma. E, em meio a esse caos, encontro uma paz estranha. É como se a fúria do mar refletisse minhas próprias angústias e, ao se acalmar, levasse consigo um pouco das minhas dores.

Há momentos em que me deixo perder na contemplação do horizonte, onde o mar encontra o céu. Ali, naquele ponto, mora o mistério.

Quantos segredos escondem-se nas águas profundas? Quantas histórias foram sussurradas pelas ondas ao longo dos milênios? O mar é um guardião silencioso, testemunha de eras passadas, um espelho das emoções humanas.

Quando caminho pela praia após uma tempestade, o cenário que encontro é ao mesmo tempo desolador e esperançoso. Detritos espalhados pela areia, vestígios da fúria recente, são provas de que a tempestade passou. Mas, entre os destroços, pequenas joias brilham - conchas, pedaços de coral, vidros polidos pelo incessante vaivém das ondas. Cada fragmento conta uma história de resiliência, de como a beleza pode surgir das situações mais caóticas.

O caos é necessário!

Sabe, a cada encontro com o mar, sinto que me aproximo mais de mim mesmo. As ondas que vêm e vão são como um diálogo silencioso entre minha alma e aquela imensidão toda. Cada ressaca, cada calmaria, é uma lição sobre a impermanência da vida, sobre a necessidade de aceitar o que não podemos controlar. O mar me ensina a ser paciente, a esperar pela maré certa, a confiar que, mesmo nas horas mais escuras, a luz do amanhecer sempre virá.

O mar, com todos os seus segredos e mistérios, é um reflexo de nós mesmos. Suas águas profundas guardam respostas que talvez nunca compreendamos completamente, mas que, de alguma forma, sentimos em nosso íntimo. Ele nos desafia a explorar nossas próprias profundezas, a enfrentar nossos medos e a emergir renovados.

Nada me reseta como o mar. E é nesse encontro diário com sua vastidão que encontro um sentido maior para minha própria existência. É ali, diante da sua grandiosidade, que percebo a verdadeira essência da vida: um constante ir e vir, um eterno movimento entre a calmaria e a tempestade, entre o conhecido e o misterioso.

Primeiro Momento

Dói quando a gente se corta, se machuca, se depreda. É doloroso.

Eu costumava me decepcionar com os outros. Eu sempre fui uma pessoa de altas expectativas, nunca me contentei com pouco, e por consequência, as minhas expectativas costumam ser altas; sobre coisas e pessoas. E com isso você já pode imaginar a proporção dos tombos.

Para ser honesto contigo, eu passei boa parte da minha vida acreditando que eu me decepcionava com as pessoas, quando na verdade, eu estava mesmo decepcionado com a minha idealização. Com a minha projeção.

O maior erro do ser humano é acreditar que o inferno são os outros, quando na verdade somos nós mesmos que nos proporcionamos o "céu" e o "inferno". Tá tudo aqui, acontecendo agora. 99,9% das vezes que sofremos por uma quebra de expectativa, a culpa é nossa.

Se decepcionar faz parte da vida, e saber lidar com a decepção não é uma tarefa fácil. Muito pelo contrário, é de extrema dor, e requer um trabalho árduo passar pelo processo de cura.

O ser humano em si quer ser visto, escutado, aceito e validado, mas não sabe lidar com a negativa do outro. Nós literalmente não damos conta da negativa do próximo; e por esta razão, sofremos. E sofremos muito.

{...} Eu sou extremamente apaixonado pelo mar... Eu tenho uma relação íntima com as águas, e o combo sol e mar me faz muito feliz. Todos os meus processos mais profundos e íntimos acontecem quando eu estou na beira do mar, num pôr do sol.

Eu costumo dizer que a decepção é como um maremoto que, de repente, irrompe a vida, sem aviso prévio, devastando boa parte dos sentimentos que construímos. E à medida que a onda gigantesca de expectativas desmoronadas e sonhos quebrados recua, ficamos à deriva, tentando entender a magnitude do que aconteceu. A gente se vê encontrado, desencontrado, sentado na beira do mar, tentando lidar com a ressaca da decepção.

Ainda fazendo essa correlação, vou falar sobre como me sinto no momento em que as coisas acontecem, num presente, assim consigo trazer em palavras os meus sentimentos mais honestos. Pode ser? Vamos lá, então...

Após a grande onda, vem um período de calmaria inquietante. O mar, que antes parecia furioso, agora está silencioso - traiçoeiro. É nesse silêncio que sinto o verdadeiro peso da minha decepção. O céu pode estar limpo, mas dentro de mim, as águas ainda estão turvas. Cada pensamento é como uma onda quebrando na costa, lembrando-me constantemente do que perdi... De quem eu perdi.

Essa ressaca emocional me deixou em um estado de vulnerabilidade.

Eu me sinto esgotado, como se cada pedaço da minha energia tivesse sido sugado pelo caos. Cada lembrança é um desespero como um fragmento de concha quebrada, espalhado pela areia, pontiagudo e doloroso ao toque. O que antes era uma praia tranquila agora está cheia de destroços emocionais, exigindo cuidado e tempo para ser limpa.

E limpeza não costuma ser uma tarefa fácil.

Me sinto desorientado. Assim como um navegante que perde o rumo no mar aberto, me encontro sem direção clara, questionando minhas decisões e julgamentos - eu me julgo sem parar. A confiança, que antes me guiava como uma bússola, parece quebrada, e cada tentativa de seguir em frente é meticulosamente avaliada, temendo mais um naufrágio emocional. QUE DIFÍCIL!

No entanto, essa ressaca da decepção não é apenas um tempo de dor, mas também de reflexão. É no refluxo das águas que começo a ver as coisas com mais clareza. As ondas turbulentas começam a se acalmar, e sou capaz de examinar os destroços com um olhar mais atento. Nem sempre coeso, mas atento. Percebo que, embora muito tenha sido perdido, ainda há espaço para a reconstrução. A areia pode estar marcada pelas tempestades, mas também está pronta para novas pegadas.

Aos poucos, começo a recolher os pedaços. Cada pedaço de concha quebrada é uma lição aprendida, cada grão de areia é um momento de crescimento pessoal. A praia nunca será a mesma, mas pode se tornar um lugar de resiliência.

O mar, com toda a sua imprevisibilidade, me ensina a ser flexível e a encontrar força na minha vulnerabilidade.

Essa ressaca da decepção me força a olhar para dentro, como nunca antes, a confrontar minhas fraquezas e a encontrar novas fontes de força. É um processo lento e, sempre muito doloroso, mas necessário.

Assim como o mar que, após a tempestade, volta a se acalmar, eu também encontro meu equilíbrio, aprendendo a navegar novamente com cautela.

Mas este equilíbrio é mentiroso, pois não é estável. Vai e vem.

Nesse momento, as águas podem ainda guardar memórias da tempestade, mas também refletem a luz de novas oportunidades. E é bem aqui que eu preciso que você preste atenção, porque neste primeiro momento, de crise, novas oportunidades nos são apresentadas, mas por conta da bagunça que se apresenta nesta ressaca, muitas vezes não conseguimos enxergar com clareza.

Por vezes, oportunidades até mesmo de resoluções mais rápidas e menos dolorosas se apresentam, mas a falta de percepção impede a visão do todo, e aí partimos para uma jornada de cura nada saborosa.

Segundo Momento

"Não pode ser..."

Essas palavras ecoam na minha mente, como se fossem uma defesa automática contra a realidade - e são.

Sentado aqui na beira do mar, o pôr do sol pintando o céu com tons de laranja e rosa, recuso-me a aceitar que essa decepção faz parte da minha vida. É como se, ao repetir essa frase, eu pudesse afastar a dor e manter intactos meus sonhos e expectativas. Inocente.

A negação é uma resposta instintiva, uma tentativa desesperada de evitar a dor esmagadora que vem com a identificação. Sinto-me como se estivesse preso em um ciclo de pensamentos que tentam racionalizar o irracional, justificar o injustificável. Bizarro.

Tento encontrar razões para o que aconteceu, buscando desculpas e narrativas que façam sentido, mesmo quando nada parece lógico.

Tudo em vão.

É difícil admitir que algo deu errado, que minhas esperanças foram frustradas. Em vez disso, encontro-me buscando desculpas e racionalizações. "Talvez não tenha sido tão ruim assim, talvez eu esteja exagerando." Tento minimizar o impacto, convencendo-me de que a situação não é tão grave quanto parece. A negação é minha forma de autoproteção, uma barreira invisível que me impede de encarar a verdade.

Cada vez que uma lembrança dolorosa surge, afasto-a rapidamente. "Não pode ser." Recuso-me a acreditar que aquilo que tanto esperei, pelo qual tanto lutei, acabou em desilusão. É mais fácil fingir que tudo está bem, que nada mudou, do que encarar a dura realidade de que fui decepcionado.

Mesmo diante das evidências, minha mente cria justificativas, e eu sou bom em me justificar... Em justificar a maldade do outro. "Mas que outro, Leandro?" Talvez eu tenha entendido errado, talvez haja uma explicação que ainda não conheço. Essas incertezas são como bóias de salvação às quais me agarro desesperadamente, na tentativa de manter a cabeça fora d'água em um mar de incerteza e dor. Muita dor.

A negação, embora confortável no início, começa a mostrar suas limitações. Tento esconder a decepção, mas ela se reflete nos meus olhos, na minha voz, nas minhas ações. É um peso que carrego comigo, mesmo quando finjo que ele não existe. As pessoas ao meu redor percebem, mesmo que eu tente disfarçar. "Não pode ser..." Mas todos sabem que é.

Por mais que eu tente negar, a realidade é persistente. Cada pequena rachadura na minha fortaleza de negação permite que um pouco da verdade se infiltre, trazendo consigo a dor que tanto temo. "Não pode ser." Mas é. Aos poucos, essa barreira começa a desmoronar, e a verdade se torna inegável. No fundo a gente sempre sabe, mas é gostoso se enganar.

A negação, embora seja um mecanismo de defesa natural, prolonga o inevitável confronto com a verdade. Cada tentativa de afastar a realidade só adia a dor, intensificando-a com o tempo. A negação transforma-se em um ciclo vicioso, onde a dor não resolvida continua a me corroer internamente.

A negação deixa, então, de ser uma aliada da consciência.

Eu logo começo a perceber que a negação só prolonga o inevitável. Tava na minha cara o tempo todo.

Tento me convencer de que, ao evitar a verdade, estou me protegendo, mas na realidade, estou apenas adiando o processo. E não há nada pior do que adiar um processo de cura. Não há NADA pior.

Não pode ser. Mas é. E, aos poucos, aceito que preciso encarar essa realidade. A negação foi um escudo temporário, uma maneira de me preparar para a dor, mas agora, é hora de baixar a guarda e enfrentar a verdade. A decepção é real, e quanto mais cedo eu aceitá-la, mais rápido poderei começar a reconstruir minhas esperanças e encontrar um novo caminho.

O pôr do sol marca o fim de mais um dia cheio de dúvidas e angústias, mas também anuncia a chegada de um novo. Com essa aceitação, sei que estou dando o primeiro passo para sair da sombra da negação e seguir em frente, mais forte e mais consciente das minhas emoções.

Temos um caminho.

Terceiro Momento

"NÃO!!! Eu fui traído!"

A raiva ferve dentro de mim como lava prestes a explodir de um vulcão. Sentado na beira do mar, o pôr do sol já não me traz conforto. Em vez disso, o horizonte tingido de vermelho reflete a fúria que sinto por dentro. A realidade da decepção finalmente se impôs, e com ela veio um tsunami de indignação e revolta.

"Como puderam?" A pergunta ecoa, alimentando a chama da minha raiva. Eu me sinto traído por aqueles em quem confiei, por aqueles que prometeram estar ao meu lado. A dor da decepção se transforma em uma raiva insuportável, uma força quase palpável que me consome. A confiança que eu tinha foi quebrada, e agora, cada lembrança é uma ferida aberta. Até o que parecia bom, tem gosto amargo.

Olho para o mar, buscando alguma forma de acalmar essa tempestade interna, mas tudo o que vejo são as ondas quebrando violentamente contra as rochas, espelhando minha própria turbulência.

Sinto-me traído por mim mesmo. Também. Como pude ser tão ingênuo? Como pude deixar que isso acontecesse? Cada decisão que tomei, cada passo que dei, parece agora um erro monumental.

A raiva se volta contra mim, corroendo minha autoestima e me fazendo questionar meu julgamento.

QUE JULGAMENTO?

Esse sentimento é uma prisão. Me sinto preso em um ciclo de ressentimento e frustração, incapaz de ver além da minha dor. Cada interação, cada conversa, é filtrada por esse sentimento de traição. Os rostos daqueles que me decepcionaram surgem na minha mente, e a vontade de confrontá-los é quase irresistível. Quero que sintam a dor que estou sentindo, quero que entendam o quanto me machucaram.

Não tem fim?

Estou em um ponto de ebulição, onde a ira ameaça transbordar e consumir tudo ao seu redor. Mas sei que, para realmente superar essa decepção, preciso encontrar uma maneira de liberar essa raiva de forma saudável.

"Gritar ao vento, correr pela praia, qualquer coisa que me ajude a extravasar essa energia negativa. Comer chocolate, assistir Scandal pela milésima vez, jogar videogame até cansar. Fazer sexo até o sol raiar..."

A raiva, embora poderosa, é exaustiva. Ela drena minha energia, me deixando esgotado e vazio.

Eu entendo que a raiva é uma etapa necessária no processo de cura. Ela me permite reconhecer a injustiça, validar meus sentimentos e entender a profundidade da minha dor. No entanto, também sei que não posso permanecer nesse estado para sempre.

A raiva deve ser sentida, expressada e, finalmente, deixada para trás.

Fui traído, e a dor disso é real. Mas também é real a necessidade de encontrar um caminho além dessa raiva. Sentado aqui, com o sol desaparecendo no horizonte, começo a entender que a raiva é apenas um recorte do processo. Ela é intensa e avassaladora, mas não precisa ser permanente.

Eu me permito sentir essa raiva, a reconheço e a deixo fluir. Porque sei que, assim como o mar eventualmente se acalma, eu também encontrarei um equilíbrio.

A raiva é um sinal de que me importo, de que sou capaz de sentir profundamente. E, eventualmente, ela abrirá caminho para algo a mais, algo que me permitirá seguir em frente.

Apesar de ser uma etapa extremamente dolorosa, eu acredito fielmente que é uma das mais importantes, neste processo.

Enquanto o último vestígio de sol desaparece no horizonte, faço uma promessa a mim mesmo: vou superar essa raiva. Vou encontrar uma maneira de curar e reconstruir. Porque, apesar de tudo, a vida continua, e ninguém me deve nada.

Eu preciso acreditar que tem algo melhor chegando.

Quarto Momento

"E se eu fizer uma viagem?" A ideia surge como uma centelha de esperança em meio ao caos das emoções. Sentado na beira do mar, onde a luz do sol ainda se reflete nas águas, começo a pensar em formas de reverter a situação. Talvez possamos encontrar uma solução, um jeito de consertar tudo e evitar essa dor que tanto me consome.

A briga com a realidade é uma tentativa desesperada de encontrar alívio. Penso em todas as maneiras possíveis de fazer as coisas voltarem ao que eram antes. E se fizermos algo diferente? E se tentarmos mais uma vez? A possibilidade de uma nova viagem, uma nova chance de reconectar e redescobrir o que foi perdido, parece uma saída viável.

Revejo as memórias das nossas viagens passadas, os momentos de alegria e descoberta. Lembro-me de como nos sentíamos livres e conectados, e essa lembrança alimenta minha esperança. Talvez uma nova viagem possa apagar as mágoas, trazer de volta a harmonia que parecia tão natural. E se a gente marcar outra viagem?

Proponho a ideia para mim mesmo, ansioso por uma resposta
que possa confirmar minhas esperanças. Quero acreditar que
podemos superar isso, que há uma solução que ainda não
exploramos. Talvez se voltarmos ao lugar onde tudo
começou, possamos reencontrar a magia e a conexão que
sentimos um dia. Vamos para Floripa? Para Sintra? Vegas?
Negociar com a realidade é minha maneira de tentar evitar
a dor, de encontrar uma saída para esse labirinto de
emoções.

Mas enquanto a sugestão paira no ar, percebo que essa
negociação é mais complexa do que parece. Não se trata
apenas de uma viagem física, mas de uma jornada emocional.
Podemos realmente recriar o que foi perdido? A esperança
de que uma nova experiência possa curar as feridas é
forte, mas também frágil. A realidade não se altera
facilmente, e a dor não desaparece com uma simples mudança
de cenário. Que difícil.

Começo a entender que essa negociação com a realidade é
uma forma de procrastinação emocional. Estou tentando
adiar o inevitável, mais uma vez, buscando soluções
externas para um problema interno. A verdadeira cura não
virá de uma nova viagem, mas de uma aceitação profunda e
honesta do que aconteceu.

"E se a gente marcar outra viagem?" A pergunta ainda ressoa, mas agora com uma nota de reflexão. Talvez a resposta não esteja em fugir ou tentar recriar o passado, mas em enfrentar a realidade com coragem e verdade. Preciso parar de negociar com a dor e começar a aceitar que algumas coisas não podem ser consertadas tão facilmente.

A verdade dói uma vez só, né?

Enquanto o sol se põe completamente, deixando o céu escuro e tranquilo, percebo que a verdadeira viagem que preciso fazer é dentro de mim mesmo. Fico sem graça, envergonhado por me deparar com um eu mais frágil e inocente, mas sorrio.

E se a gente marcar outra viagem? Talvez, um dia. Mas por agora, a viagem mais importante é a que me leva a entender, aceitar e finalmente curar as feridas deixadas pela decepção. "Que ressaca é essa, que demora tanto a passar?"

Já é noite.

Quinto Momento

A noite caiu, e com ela veio uma escuridão que reflete o meu estado de espírito. Sentado na beira do mar, sob um céu sem lua, me sinto envolvido por uma tristeza esmagadora, um incômodo irritante.

A superfície do mar, negra e impenetrável, é um espelho do que eu estou vivendo. Cheguei ao fundo do mar emocional, onde a luz da esperança mal consegue penetrar.

A realidade da decepção finalmente me alcançou por completo. Que momento péssimo. A raiva que antes fervia dentro de mim se dissipou, dando lugar a um vazio avassalador. A ideia de negociar uma saída, de encontrar soluções ou compromissos, já não parece viável. Agora, há apenas o reconhecimento cru e doloroso da extensão da minha dor. A tristeza é um manto pesado que me envolve, tornando cada respiração, cada pensamento, um esforço árduo.

Quero voltar a respirar, mas não consigo...

Me sinto sozinho, apesar de saber que há pessoas ao meu redor. A solidão é interna, uma sensação de desconexão que me isola em uma bolha de desespero. O som das ondas batendo na costa, normalmente calmante, agora soa distante e indiferente. O mundo continua, mas aqui, tudo parece suspenso, imóvel. Sem graça.

Cada momento é um lembrete da minha vulnerabilidade, da minha incapacidade de mudar o que aconteceu. E não tem nada que eu deteste mais do que me sentir impotente.

Sinto-me perdido, sem direção, entrei num piloto automático. A confiança em mim mesmo, que antes me dava força, está quebrada. Cada tentativa de olhar para o futuro é imediatamente sufocada por uma sensação de desesperança. O futuro parece tão escuro quanto a noite que me assiste.

Agora cada memória feliz se transforma em um tormento. Eu me lembro das MINHAS risadas, das promessas, dos momentos de alegria, e cada uma dessas lembranças é uma faca cravada no meu coração. A dor da perda é insuportável, e não consigo evitar a sensação de que nunca serei capaz de superar isso. A vida parece sem sentido, um ciclo interminável de sofrimento e desilusão.

O fundo do mar é um lugar de reflexão dolorosa. Aqui, não há distrações, não há fugas. Sou forçado a confrontar minhas emoções em sua forma mais pura e crua. A tristeza me engole, me afoga em um mar de lágrimas não derramadas.

O balde cheio, e eu não consigo esvaziar. Tento encontrar palavras para expressar essa dor, mas elas me escapam, como grãos de areia entre os dedos. Eu costumava ser maior que o balde, mas estou me afogando.

E mesmo nesta escuridão, com água por todos os lados... O sal corroendo a minha pele, ainda há uma pequena parte de mim que ainda deseja lutar. É uma faísca minúscula, quase imperceptível, mas está lá. Talvez seja a parte de mim que sabe que, por mais fundo que eu esteja, a maré eventualmente muda.

O fundo do mar, embora sombrio e assustador, também é um lugar de potencial. É daqui que posso começar a subir, lentamente, em direção à superfície...

Por agora, aceito a tristeza. Permito-me sentir a dor, reconhecer minha vulnerabilidade, sem tentar fugir. Sei que esta fase é necessária e inevitável. Eu preciso me permitir sentir, e eu preciso fazer isso sozinho.

Enquanto estou aqui, no fundo do mar, tento me lembrar de que a noite, por mais longa que seja, sempre cede ao amanhecer. Mesmo que não consiga ver a luz agora, ela ainda existe.

Pegar impulso, ter forças para nadar até a superfície e, então, ter resiliência para chegar até a costa não foi uma tarefa fácil ou tranquila. Eu me deparei com muitas águas-vivas e tubarões querendo um pedaço de carne, mas não desisti. Enfrentei o que precisei enfrentar aqui dentro e emergi. Nadei até a beira da praia.

Sexto Momento

"Você está sozinho..." Essas palavras GRITAM em minha mente enquanto olho para o pôr do sol, uma bola de fogo descendo lentamente no horizonte. Há um entendimento tranquilo que se instala em meu coração. A aceitação de que nada será como era finalmente chegou?

Agora, sentado na beira do mar, percebo que a dor não desapareceu completamente. Em vez disso, sinto que a dor faz parte de mim, mas não me define. E talvez isso tenha me mudado para sempre.

"Você está sozinho... sempre esteve!"

Essas palavras antes carregavam um peso de solidão insuportável, mas agora as vejo sob uma nova luz. Estar sozinho não significa ser solitário.

Entendi que a verdadeira força vem de dentro, e que a capacidade de encontrar paz em minha própria companhia é um presente valioso.

O pôr do sol pinta o céu com cores de ouro e rosa, e sinto
uma sensação de renovação - são as minhas cores favoritas
num pôr do sol. A aceitação trouxe clareza. Reconheço que
essa decepção fez essa ressaca ser muito dolorosa nos
últimos meses, mas também uma oportunidade de crescimento.
Cada onda que quebra na praia é um lembrete de que a vida
continua, sempre em movimento, sempre mudando. E que bom,
que privilégio.

"Ufa! Encontrei maneiras de lidar com a decepção." Criei
novos objetivos, novas esperanças, e encontrei um
equilíbrio entre a lembrança do passado e a expectativa do
futuro. A dor ainda está lá, mas não é mais avassaladora.
É uma parte de mim, uma cicatriz que me lembra da minha
resiliência.

"Você está sozinho... sempre esteve!" Sim, estou. Mas
nesta solitude, encontrei minha força. Entendi que, embora
possa contar com os outros para apoio e amor, a verdadeira
base da minha estabilidade vem de dentro. Aprendi a
confiar em mim mesmo, a valorizar minha própria companhia
e a encontrar alegria nas pequenas coisas da vida, como
tocar minha música favorita no piano, só para que eu possa
me orgulhar dos meus processos criativos.

O mar, que antes parecia um reflexo da minha dor, agora é um símbolo de calma e renovação. As ondas que uma vez representaram a turbulência de minhas emoções agora são um testemunho da minha capacidade de fluir com a vida, de aceitar o que não posso mudar e de encontrar beleza mesmo nas marés mais tempestuosas. Lembra quando eu disse que o caos é necessário? Pois é.

Esse processo de entendimento é contínuo. Sei que haverá dias em que a dor pode voltar, momentos em que a lembrança da decepção pode me assombrar. Mas também sei que tenho a capacidade de enfrentar esses momentos com coragem. Porque, no fim das contas, "aceitação" é reconhecer a impermanência de tudo e encontrar paz nesse fluxo.

Como eu costumo dizer: O pôr do sol sinaliza o fim de mais um dia; E SEMPRE promete um novo começo. SEMPRE.

A cada novo dia consigo ver a oportunidade de crescer, aprender e amar. E enquanto contemplo esse ciclo eterno, porém finito, - que a gente chama de vida - sinto uma gratidão profunda por ter chegado até aqui, por ter encontrado a força para aceitar minha realidade e seguir em frente. Por confiar em mim, nos meus sentidos, nas minhas sinapses, e acima de tudo: na minha intuição.

"Você está sozinho, Guigó. Sempre esteve!"

Sim, estou, e me sinto muito bem assim. Encontrei meu equilíbrio, minha paz, e estou pronto para o que quer que venha a seguir. O mar continua a murmurar, e eu, sentado na beira dele, aceito minha jornada com o coração aberto e uma esperança renovada.

Sétimo Momento

Imensidão. É essa a palavra que me vem à mente enquanto olho para o horizonte, onde o mar e o céu se encontram em uma linha infinita. Depois do meu entendimento, sinto uma nova energia dentro de mim, uma força que me impulsiona a buscar novos caminhos e a explorar novas possibilidades. Sentado aqui, na beira do mar, afundando meus pés na areia percebo que a imensidão ao meu redor reflete a vastidão de oportunidades que agora se abrem diante de mim.

A fase de reconstrução começou, e com ela, uma sensação renovada de propósito. O que antes parecia um campo de destroços emocionais agora é um terreno fértil, pronto para ser cultivado com novas esperanças e sonhos. O entendimento foi apenas o primeiro passo, agora, é hora de redefinir minhas metas e recuperar minha autoestima.

Parece que a minha ressaca está indo embora.

Decido, então, que é hora de buscar novas oportunidades, de me abrir para novas experiências. Não posso mudar o passado, mas posso moldar meu futuro. Me sinto motivado, determinado a reestabelecer o meu eu, que outrora estava quebrado.

Começo a explorar minhas paixões, aquelas que talvez tenha deixado de lado durante os momentos mais difíceis. Redescubro hobbies e interesses que me trazem alegria e satisfação... Começo a escrever. De novo.

Cada pequena conquista, cada novo aprendizado, é um tijolo na reconstrução da minha confiança. A sensação de realização, mesmo nas menores coisas, alimenta minha autoestima e me dá forças.

Parece que a minha RESSACA está mesmo indo embora!?

Também me abro para novas conexões. Entendo que, embora a solitude tenha me ensinado muito, a interação humana é essencial para o crescimento. Busco novos relacionamentos, não para substituir os antigos, mas para acrescentar novas cores à paleta da minha vida. Cada pessoa que conheço, cada história que compartilho, enriquece meu mundo e me ajuda a ver a vida de diferentes perspectivas.

A vida é cheia de possibilidades. Decido me inscrever em cursos, explorar novas carreiras, viajar para lugares desconhecidos. Cada nova experiência é uma chance de aprender mais sobre mim mesmo e sobre o mundo ao meu redor. A reconstrução não é apenas sobre reparar o que foi quebrado, mas também sobre criar algo novo e belo a partir das ruínas.

Enquanto observo o pôr do sol, sinto uma paz profunda. Sei que a jornada ainda terá seus desafios, mas estou preparado para enfrentá-los. A confiança que antes estava abalada agora cresce a cada dia, fortalecida pela aceitação e pela ação. A autoestima, que parecia tão frágil, agora se ergue firme, alimentada pelo amor próprio e pela determinação.

A imensidão do mar continua sendo um lembrete constante de
que não há limites para o que posso alcançar. Com a mente
aberta e o coração cheio de esperança, estou pronto para
abraçar o desconhecido e construir uma vida que reflita
quem realmente sou.

Eu passei muito tempo construindo para os outros, ou
através da ótica do outro. Me encontrar neste caos foi o
meu maior presente.

A reconstrução é um processo complexo, mas cada passo que
dou me aproxima mais da pessoa que quero ser... E agora,
sem precisar da aprovação da tempestade. Da tempestade só
quero carregar a poesia.

Chega de ressacas recorrentes. Eu me sinto pronto para
novas experiências.

Oitavo Momento

Sentado novamente na beira do mar, sinto a brisa suave e escuto o som tranquilo das ondas quebrando na praia. É um som familiar, que antes representava a turbulência de minhas emoções, mas agora, traz uma sensação de realização.

Refletindo sobre os últimos meses, percebo o quanto cresci em tão pouco tempo. Cada onda que recua e retorna é um eco do meu próprio crescimento, uma lembrança de como a adversidade pode moldar a força interior.

A ressaca da decepção trouxe muitos ensinamentos. No início, parecia impossível superar a dor, mas, passo a passo, encontrei minha resiliência. Agora, cada lembrança daqueles momentos difíceis é vista sob uma nova luz. São ecos de um tempo em que fui testado e, através desses testes, descobri uma força que eu não sabia que possuía.

Cresci de maneiras que nunca imaginei. A aceitação foi o início dessa transformação, mas o verdadeiro crescimento veio com a reconstrução. Aprendi a confiar em mim mesmo, a valorizar minhas próprias capacidades e a encontrar significado em minhas experiências. O mar me ensinou que as tempestades são passageiras e que, após a turbulência, há sempre um período de renovação. É clichê e eu adoro.

Descobri que sou mais forte do que pensava. As dificuldades me forçaram a olhar para dentro e a confrontar minhas fraquezas, mas também revelaram minhas maiores forças. A resiliência, a paciência e a capacidade de perdoar - a mim mesmo e aos outros - emergiram como pilares fundamentais do meu crescimento pessoal. Cada desafio superado foi um tijolo na construção de uma versão mais forte e mais sábia de mim mesmo.

Compreendi também o valor das conexões humanas. Durante os momentos de escuridão, as pessoas que permaneceram ao meu lado se tornaram âncoras em minha vida. Essas relações, forjadas no fogo da adversidade, são agora mais fortes e significativas. Aprendi a valorizar a autenticidade, a empatia e o apoio mútuo, e esses valores moldaram a maneira como me relaciono com os outros.

Os ecos da ressaca são também lembretes de que a vida é um ciclo constante de altos e baixos. Crescer significa aceitar essa realidade e estar preparado para navegar tanto nas águas calmas quanto nas tempestuosas.

Cada experiência, boa ou ruim, contribui para a nossa formação. Agora, vejo a vida com mais clareza, com uma compreensão mais profunda de que cada desafio é uma oportunidade disfarçada para aprender e evoluir.

Eu vejo a vida de uma forma mais livre, agora. Eu venci as minhas amarras, e sou livre.

Essa ressaca me deu uma nova perspectiva sobre o mundo ao meu redor. Apreciei a beleza nas pequenas coisas - o som das ondas, o calor do sol, a simplicidade de um sorriso sincero.

Observando o pôr do sol, sinto uma gratidão profunda. Não foi fácil, mas foi necessário. A dor da decepção foi o catalisador para um crescimento que talvez nunca tivesse acontecido de outra forma.

Eu sou suficiente, e isso ecoa, ressoa, amplifica...

O que eu sinto agora eu chamo carinhosamente de "Ecos da ressaca" - da alma. São ecos de um tempo passado, mas também são promessas de um futuro brilhante. O mar continua seu eterno movimento, e eu, sentado à sua beira, encontro paz na certeza de que, assim como as ondas, continuarei a crescer e a evoluir. Porque, no fim, a vida é isso: um contínuo processo de aprendizado, crescimento e renovação.

A DECEPÇÃO

O mar estava calmo naquele dia, um contraste gritante com o turbilhão de emoções que eu sentia por dentro. A brisa suave e o sol que ofuscava pareciam zombar da tempestade que se formava no meu coração. A decepção chegou de repente, como uma onda traiçoeira que quebra sem aviso, arrastando tudo em seu caminho.

Tudo começou com uma promessa. Uma promessa de lealdade. Acreditar nessas palavras foi fácil, elas vieram de alguém que eu considerava parte fundamental da minha vida. Cada momento compartilhado, cada confidência trocada, parecia fortalecer o laço que nos unia.

No entanto, a verdade é que as pessoas são complexas e, muitas vezes, imprevisíveis. A decepção veio na forma de traição, uma ação inesperada que desmontou a imagem que eu tinha construído.

A pessoa em quem confiei, a quem entreguei partes de mim mesmo, revelou um lado que eu nunca imaginei existir.

Lembro-me do momento exato em que tudo desmoronou. As palavras ditas, as ações tomadas, foram como facas cortando profundamente. A sensação de incredulidade, seguida pela raiva e, finalmente, pela dor esmagadora, deixou-me atordoado. Senti como se estivesse sendo puxado para baixo, para as profundezas do mar, sem conseguir respirar.

Naquele instante, percebi que a decepção não vem apenas da quebra de confiança, mas também da quebra das expectativas que criamos. Eu havia projetado uma imagem perfeita, uma idealização que não correspondia à realidade. E quando a realidade se impôs, foi como um maremoto devastando tudo em seu caminho.

As ondas da decepção continuaram a me atingir, uma após a outra. Primeiro veio a dor aguda, uma sensação física de algo se partindo dentro de mim. Em seguida, a negação, uma tentativa desesperada de não acreditar no que estava acontecendo. Queria voltar no tempo, mudar as circunstâncias, fazer com que tudo fosse diferente. Mas, assim como as ondas do mar, a verdade era implacável e inescapável.

Depois, veio a raiva. Uma fúria ardente que queimava dentro de mim, direcionada não só à pessoa que me traiu, mas também a mim mesmo por ter sido tão ingênuo. A raiva era um combustível, uma força que me mantinha em movimento, mesmo que me consumisse por dentro.

A negociação foi minha tentativa de encontrar uma solução, de consertar o irreparável. Pensei em mil maneiras de reverter a situação, de restaurar o que foi perdido. Mas, no fundo, sabia que não havia retorno. A única saída era enfrentar a verdade e seguir em frente.

E assim, cheguei ao fundo do mar. Uma tristeza profunda e esmagadora que me envolveu completamente. Sentia-me sozinho, isolado no meu sofrimento, mesmo estando rodeado por pessoas. Foi um período de reflexão dolorosa, onde tive que confrontar minhas próprias vulnerabilidades e fraquezas.

Mas, do fundo do mar, comecei a encontrar uma nova perspectiva. Percebi que, embora estivesse sozinho, essa solidão também era uma fonte de força. Aprendi a valorizar minha própria companhia e a encontrar paz dentro de mim mesmo. A aceitação trouxe uma sensação de renovação e, com ela, a possibilidade de reconstrução.

Agora, olhando para trás, vejo que a decepção foi um ponto de virada. Uma experiência dolorosa, mas também uma oportunidade de crescimento. Cada momento descrito neste livro é um reflexo dessa jornada, uma prova de que, por mais devastadora que uma decepção possa ser, ela também pode ser o início de uma transformação profunda e significativa.

Que este livro seja um farol para você, em suas próprias tempestades. Que você encontre, nas linhas destas páginas, a força para navegar pelas ressacas emocionais e emergir mais forte e mais sábio.

Então, Leandro Krauss, que fique bem claro: foi você, e
somente você, o culpado pela minha decepção.

Você foi o motivo da minha ressaca.

Você traiu quem mais te amava: você mesmo.

Ressaca | O POEMA

Ei você, eu te vejo agora,
Nos teus sonhos vastos, na esperança que aflora.
Teus olhos brilhantes, vislumbrando um futuro,
Eu sou teu reflexo, no tempo, teu murmuro.

Menino sonhador, com a alma tão pura,
Mal sabes das ondas que a vida te assegura.
A ressaca do mar e a da vida também,
Te moldarão aos poucos, como ninguém.

Nos teus I5 anos, o mundo é canção,
Nos meus 33, a vida é lição.
As tempestades vêm, e as águas se agitam,
Mas é na calma após a tormenta que os corações se
fortificam.

Você sonha em ser artista, escritor de emoções,
E eu, com cicatrizes, te entrego mil lições.
Cada dor sentida, cada lágrima caída,
Te levará a um renascimento, à alma engrandecida.

Ressacas virão, te puxando ao fundo,
Mas lembra, querido, do amor profundo.
Aquele que tens por ti mesmo, que nunca se apaga,
Mesmo quando o mundo em sombras se embala.

Eu encontrei minha voz nas palavras que escrevo,
E te digo, menino, nunca perca o enlevo.
Nas artes, nas letras, na tua essência,
Está a chave para a tua resistência.

Você verá traições, desilusões, desamores,
Mas são esses momentos que te farão maiores.
Abrace a dor, não temas a escuridão,
Pois é nela que a luz faz sua maior revelação.

Ei você, eu sou teu futuro,
E te agradeço por cada sonho puro.
Porque foram eles que me trouxeram até aqui,
E na ressaca da vida, encontrei a força em mim.

Então, siga sonhando, sem medo de errar,
Pois cada queda é uma chance de se levantar.
E na ressaca do tempo, nos encontramos enfim,
Dois Leandros, um só destino, um só jardim mar.

Introdução às Notas da Ressaca

Queridos,

Eu gostaria de compartilhar algo muito pessoal e significativo da minha escrita. Nos últimos meses, passei por uma ressaca transformadora. Durante 180 dias, mantive um diário no meu telefone, escrevendo mensagens de mim para mim, de mim para o universo e de mim para vocês.

Cada dia foi uma experiência única, cheia de altos e baixos, revelações e desafios. Decidi registrar cada momento porque senti que essas notas poderiam ser uma forma de entender e processar minhas emoções. Não foi um processo linear; foi mais parecido com uma montanha-russa de sentimentos, onde cada curva e queda trouxe uma nova perspectiva sobre a dor, a cura e o crescimento.

Essas notas representam um diário íntimo e instantâneo dos meus pensamentos e sentimentos. Ao compartilhar isso com vocês, meu objetivo é mostrar que a ressaca emocional é complexa e multifacetada. Há dias em que a dor parece insuportável, outros em que a aceitação começa a florescer, e há também momentos de pura epifania onde encontramos um pouco de paz e clareza.

Durante esses I80 dias, escrevi sobre minhas decepções, meus medos, minhas raivas e minhas esperanças. Cada bloco de notas é um reflexo fiel do que eu estava sentindo naquele exato momento. Alguns dias são sombrios e pesados, enquanto outros são leves e cheios de esperança. Juntos, eles formam um mosaico de emoções que acredito ser universalmente reconhecível para qualquer pessoa que já tenha enfrentado uma crise emocional.

A escrita foi minha companheira constante, uma forma de desabafar e organizar meus pensamentos. Ao revisitar essas notas, percebo o quanto cresci e como cada pequeno passo foi crucial para a minha jornada de autodescoberta. Espero que, ao ler esses registros, vocês também possam encontrar um espelho para suas próprias experiências, e quem sabe, sentir um pouco de consolo e inspiração.

A ressaca emocional não é algo que se resolve de um dia para o outro. Ela exige paciência, autoaceitação e, acima de tudo, coragem para enfrentar nossas próprias tempestades internas. Ao abrir meu diário para vocês, estou compartilhando não só minha vulnerabilidade, mas também minha resiliência.

Por isso, ao final deste texto, incluirei as mensagens dos meus I80 blocos de notas. Eles estão exatamente como os escrevi, sem edições ou censuras. É meu presente para vocês, um testemunho honesto e cru do meu processo de cura. Espero que encontrem neles algo que ressoe com vocês, algo que possa ajudá-los em suas próprias jornadas.

Lembrem-se, a ressaca é apenas uma fase. Por mais turbulenta que seja, ela sempre passa, e no fim, sempre há a promessa de um mar calmo e um horizonte cheio de possibilidades.

Com gratidão e amor,

Leandro Krauss, Guigó

"... Intuição é coisa séria. Quando você sentir que tem algo errado, confie! Geralmente têm." LK

"... Diga coisas bonitas para as pessoas que você ama!" LK

DIA 3

"Eu descobri que eu sei amar. De verdade."
LK

3 de Janeiro de 2024 | 22:34h

LK | 050

DIA 4

"O caos é extremamente necessário. Muitas vezes o que o exemplo não resolve, o caos dá conta!" LK

DIA 5

"... E por vezes o silêncio. Ah, o silêncio!" LK

5 de Janeiro de 2024 | 12:29h

"Imagine se pudéssemos ser honestos com as nossas vontades, desejos e intenções? Imagine ser você mesmo sem precisar das mesmas aprovações que te consumiram por anos? Pois é... Você pode!" LK

6 de Janeiro de 2024 | 12:38h

"E se você for uma pessoa boa, caridosa e justa também na vida real?" LK

7 de Janeiro de 2024 | 17:30h

"Encerramentos de ciclos são importantes. Não é porque aquela pessoa caminhou contigo IO anos que ela precisa caminhar mais IO. Se a energia não é mais compatível, deixe ir... Não se meta mais em ambientes tóxicos por comodismo, ou costumes antigos!" LK

8 de Janeiro de 2024 | 09:32h

"Quem decide o que funciona para mim, sou eu. E eu não me contento com dose de sucesso, sei que mereço a garrafa toda." LK

DIA 10

"A pessoa pra querer discutir comigo, hoje em dia, precisa ter coragem, viu? Depois de tudo&tanto, eu não poupo nada... Se eu precisar subir o Everest na língua, eu subo. Seja lá quem for!" LK

10 de Janeiro de 2024 | 11:16h

"O tempo, a distância e o NÃO são os maiores aferidores de uma amizade. É tiro e queda. Passou por esses três, você sabe se a aquela amizade é verdadeira ou não." LK

DIA 12

"Beligerante é uma palavra chic né? Eu ando muito beligerante ultimamente!" LK

"Eu gosto de pensar que a vida além de expontânea & imprevisível... Ela é aleatória:

- Gente feliz é intocável;
- Silêncio é chave de MIL portas;
- Quando você se alinha à uma nova frequência, tudo o que não se encaixa mais, desaparece!" LK

13 de Janeiro de 2024 | 15:08h

"Olha... Se você soubesse o que precisei sacrificar para chegar até aqui, entenderia o porquê eu não estou para brincadeira!" LK

14 de Janeiro de 2024 | 16:28h

"Talvez seja hora de fazer a conta do que queremos viver agora... Já que não temos certeza do amanhã!" LK

"O tempo certo está estabelecido. O que é o sucesso? É o olhar do outro sobre a sua vida, ou é o seu olhar sobre a SUA vida?" LK

"Eu ESCOLHI evoluir e fazer o melhor por MIM! E para isso, eu me preparei para despedidas - de muita gente 'importante' pra mim.
Algumas dessas pessoas não estão - e talvez nunca estarão - preparadas para me ver como prioridade de mim mesmo... E tudo bem." LK

17 de Janeiro de 2024 | 09:27h

"A verdade é que se você tem uma vida interessante, você está preenchido! Você têm história para contar." LK

18 de Janeiro de 2024 | 13:46h

"Eu sou uma performance de um possível EU!
Porém não sei quem sou, de fato; Ninguém
sabe." LK

"... É importante saber a hora de se recolher, também." LK

20 de Janeiro de 2024 | 19:57h

"... O mundo não é feito da sua micro opinião sobre as coisas. Ainda bem!" LK

"A RAIVA é um sentimento de protesto... E é aquela que mais te ama! Ela percebe quando você está sendo injustiçado, negligenciado ou desrespeitado. A RAIVA sinaliza que é hora de deixar um ambiente que não proporciona igualdade e respeito mútuo. Essa é a segunda etapa do luto." LK

22 de Janeiro de 2024 | 20:57h

"... O amor cura. Amor liberta. Amor é a minha arma maior, capaz de transformar tudo o que eu toco. Se soubéssemos o PODER que o amor tem, desde cedo, talvez sofrêssemos menos... Talvez, e só talvez, fizéssemos os outros sofrerem menos também." LK

DIA 24

"... As suas projeções são SUAS. E somente suas! Não me atravessam ou mudam em nada o que elas dizem para você sobre a MINHA vida. Elas são suas, e falam sobre você!" LK

24 de Janeiro de 2024 | 12:41h

"Esta é a versão mais jovem de mim. Vou fazer as contas do que quero viver agora, porque a vida é já!" LK

"... A verdade é que se você aprende sem questionar, você está sendo doutrinado." LK

"A conta sempre chega." LK

27 de Janeiro de 2024 | 16:09h

"Autocontrole é tudo." LK

28 de Janeiro de 2024 | 20:04h

"Uma mente calma, um corpo bem cuidado e um lar cheio de afeto não podem ser comprados; eles precisam ser conquistados!" LK

29 de Janeiro de 2024 | 19:50h

"A vida é o que acontece entre os nossos planos!" LK

"Que incômodo é esse que te toma, e não te deixa ser quem é?" LK

31 de Janeiro de 2024 | 20:35h

DIA 32

"... E o desejo é histérico por excelência!"
LK

1 de Fevereiro de 2024 | 11:39h

"A vida é o que é, as pessoas são o que são. Costumamos errar ao tentar fantasiar a realidade para ter algum tipo de controle. Que bobagem. Seja e deixe ser." LK

"... Eu quero saber, mas não quero perguntar!" LK

DIA 35

"Sinto saudades de mim. De quem eu sou, fui e quero ser. Também... {pausa} {respira} também! {sorriso satisfeito}" LK

"Eu não sei quem eu sou, e não estou tão interessado em saber... Já dizia Ritinha: 'Quem eu sou me estaciona, mas quem eu quero ser me mantém em movimento'." LK

DIA 37

"Na vastidão do tempo, entre os suspiros do desejo e os ecos da redenção, a vida se desenrola como um capítulo interminável." LK

DIA 38

"Faltou tanto que sobrou. O peso do peso é o que fica, né?" LK

7 de Fevereiro de 2024 | 17:28h

"... Me devolvi pra mim." LK

8 de Fevereiro de 2024 | 12:59h

DIA
40

"A sinceridade é tão rara, e a gente prefere se perder em mal-entendidos e expectativas frustradas. Por que escolhemos esse caminho tortuoso quando a resposta está bem na nossa frente? Às vezes, parece que estamos mais interessados em criar drama do que em resolver as coisas de forma simples e direta." LK

9 de Fevereiro de 2024 | 09:17h

"... Sabe quando alguém também te devolve pra si? Pois é. Ele me devolve.

Pra mim.

Todo santo dia!" LK

10 de Fevereiro de 2024 | 21:43h

"Incômodos são parte da vida, são eles que nos auxiliam nos movimentos, nas mudanças! Os gatilhos não. Os gatilhos são sintomas de abuso. De excessos. Nossos e dos outros para conosco." LK

"... E as vezes a gente só precisa respirar.
Repensar. Começar outra vez!" LK

DIA
44

"E quando a nossa verdade não se alinha com a do outro? E quando a nossa verdade se perde na tradução do abraço?" LK

13 de Fevereiro de 2024 | 01:15h

"Se tá custando caro demais a sua paz...
Vocé já sabe o que fazer! A balança precisa
estar balanceada sempre, e quando não
estiver, retire tudo, e coloque outra vez. É
sempre tempo de recomeçar!" LK

14 de Fevereiro de 2024 | 12:01h

DIA 46

"... Sim, e? Quando eu tava sozinho batalhando pelo meu, ninguém perguntou se eu precisava de uma ajuda, então agora eu vou desfrutar sem você, também." LK

"Eu decidi me rodear de pessoas que aceitam a minha nova versão!" LK

16 de Fevereiro de 2024 | 16:56h

"Com convicção, o pior sentimento é a ansiedade. Meu Deus, como atravessa, rasga por dentro; dilacera nosso verdadeiro eu, devora-nos vivos enquanto lutamos para respirar. Terrível. O pior sentimento! Pavoroso. Evitem gatilhos de ansiedade e livrem-se de relacionamentos que tragam esse sentimento para vocês!" LK

17 de Fevereiro de 2024 | 12:26h

"... Pensando aqui nas ressacas de se embriagar de si, de embebedar-se na própria essência." LK

"Qual o sabor da vitória?" LK

"... O sabor da vitória é um café coado na hora, um pão na chapa com manteiga e seu seriado favorito na tv." LK

"Descobri que, se eu não me proteger, ninguém o fará... Você me roubou de mim mesmo, e eu me resgatarei. Tudo é meu, e ninguém mais pode tocar. Prefiro ter um fim pavoroso a viver um pavor sem fim." LK

21 de Fevereiro de 2024 | 15:33h

"Temos necessidade de existir e ser aceitos, mas não sabemos administrar a negativa do outro." LK

"Demanda emocional é um porre! Façam análise." LK

23 de Fevereiro de 2024 | 15:16h

"Quando pensei que estava curado, foi exatamente o momento em que percebi que estava mais agravado... E então minha vida mudou!" LK

DIA 56

"Se você pára de falar EU TE AMO, a única maneira de expressar o sentimento é agindo. Então, se você quer um conselho, pare agora de dizer "eu te amo". O resultado é amor puro." LK

25 de Fevereiro de 2024 | 14:31h

DIA 57

"... Têm dias que é só cansaço. Da alma." LK

26 de Fevereiro de 2024 | 22:18h

"O caos é necessário... Pra quem?" LK

27 de Fevereiro de 2024 | 11:35h

"E quando tudo o que você construiu, é colocado em dúvida? Haste fina que enverga o tempo todo, mas não quebra, não corta... Mas cansa, né?" LK

DIA
60

"... Chore um rio, construa essa ponte, e siga em frente. Supere." LK

29 de Fevereiro de 2024 | 11:42h

"Eu deixei de ser um objeto de vocês. Me humanizar foi meu maior presente... Eu me devolvi pra mim. Vocês sugaram até a minha alma, e agora se revoltam quando eu me retiro... Quando eu começo a ter vontade própria. Vocês não estão acostumados a me ver QUERENDO ou NÃO querendo algo. Eu não sou mais um objeto de vocês. Eu faço o que eu quero." LK

1 de Março de 2024 | 13:24h

"A comunicação assertiva é interpretada como grosseria por aqueles que não estão acostumados com a verdade!" LK

2 de Março de 2024 | 15:15h

DIA
63

"Eu estou um pouco cansado de mim. É hora de honrar o desejo e recomeçar!" LK

3 de Março de 2024 | 15:12h

DIA 64

"... Não sei se que gosto da ideia de ser cronicamente cruel em nome da honestidade."
LK

4 de Março de 2024 | 18:27h

"A verdade dói uma vez só! E toda vez que ela doer, seja grato... Sinal de que você, pelo menos, não está sendo enganado." LK

"O nosso propósito aqui é amar." LK

"... Só o amor é capaz de gerar revolução."
LK

7 de Março de 2024 | 07:04h

DIA 68

"As mulheres da minha vida me ensinaram a ser duas vezes melhor em qualquer coisa a que eu me submeta!" LK

"Meu maior hobby é gargalhar... De qualquer coisa." LK

9 de Março de 2024 | 16:38h

DIA 70

"Quantas vezes mais vou me devolver para mim? A psicanálise tem me reconectado com quem eu sou de forma tão agressiva e rápida, que já contei umas sete devoluções de mim para mim mesmo..." LK

10 de Março de 2024 | 16:41h

DIA
71

"O sol tá indo embora mais tarde... Um alívio instantâneo ao saber que a primavera tá chegando..." LK

11 de Março de 2024 | 22:03h

DIA 72

"Diga que ama, que sente saudade... Fique perto, queira bem... A vida é muito curta!" LK

12 de Março de 2024 | 20:48h

"Somos culturalmente viciados em coisas e pessoas..." LK

13 de Março de 2024 | 18:29h

"Tem dias que sei lá, né?" LK

"O amor... Ele cura!" LK

"Sol e verão, é o que eu preciso." LK

16 de Março de 2024 | 09:18h

DIA 17

"Você se lembra de quem você é?" LK

17 de Março de 2024 | 21:29h

"Li em algum lugar recentemente que LGBTs aprendem a mentir antes de aprender a amar...

Cara... Que ressaca da vida é essa que eu tô vivendo?!" LK

18 de Março de 2024 | 19:50h

"... E eu fui tomando tudo de volta...
Pedacinho, por pedacinho de tudo o que me
roubaram." LK

20 de Março de 2024 | 15:49h

DIA 80

"Colocar em segundo plano, ou embaixo do tapete, é válvula de escape. Limpa a casa, querido. Limpa a casa." LK

20 de Março de 2024 | 15:50h

DIA 81

"Ódio represado. É só isso que consigo ver em vocês ultimamente. Estou tão de saco cheio de todos vocês que o máximo que consigo lidar são dois minutos de conversa rasa, porque vocês não conseguem compreender quem me tornei, e eu não consigo lidar com o que ficou para trás." LK

21 de Março de 2024 | 08:31h

"A erva daninha, se removida sem planejamento, leva junto dela as ervas boas também. Coisas boas e ruins, por vezes, estão atreladas... A gente nunca sabe quando a remoção de uma erva daninha vai acabar com o jardim todo." LK

22 de Março de 2024 | 13:50h

"Eu tô cansado!" LK

23 de Março de 2024 | 18:33h

"O medo nos tira de algumas enrascadas, mas infelizmente, ele nos prende; o medo nos trava, nos impedindo de viver nossas melhores histórias." LK

"O parâmetro de comparação sempre muda o ponto de vista. Ou na narrativa. Ou a percepção." LK

DIA
86

"Hoje é um daqueles dias em que você não quer conversar, não quer explicar, não quer ter contato com outros seres humanos. Sabe aquele dia em que você olha ao redor e pensa: que m* é essa? Eu, hein... Vou passar aqui, fazer meu café, jogar meu videogame..." LK

26 de Março de 2024 | 17:14h

"Quem deve teme? Sempre, às vezes, nunca... É relativo, mas é fato que quando VOCÊ acredita que está devendo, vai pagar, mesmo que a dívida não seja sua." LK

"Eu quero passar uns seis meses sem contato com o ser humano." LK

DIA 89

"E a dívida muitas vezes é nossa. De nós para nós mesmos, e a conta precisa ser paga." LK

"... Sendo brutalmente honesto, eu daria tudo para voltar no tempo e ter a chance de rescrever um final. Ou dois." LK

"... Vou repetir para garantir que você entenda, já que simplesmente silenciá-lo não parece ser suficiente: FALAR COMIGO É UM PRIVILÉGIO. VOCÊ NÃO POSSUI PRIVILÉGIOS." LK

"Eu genuinamente não me importo com a sua opinião." LK

"A melhor sensação que existe é a de liberdade." LK

"... E paz. O sentimento de paz é absolutamente tudo para mim." LK

3 de Abril de 2024 | 10:25h

"Para quem você dá o privilégio da sua presença?" LK

4 de Abril de 2024 | 08:38h

"Eu vivo muito em paz depois de tantos fins." LK

5 de Abril de 2024 | 08:40h

"De todas as ressacas, essa foi a que mais demorou para passar... E que alegria me encontrar no final da jornada." LK

"... Talvez você só precise se alimentar de boas conversas" LK

7 de Abril de 2024 | 18:39h

"Limites, lagos e fortalezas." LK

8 de Abril de 2024 | 18:40h

"Eu tenho uns medos bobos, e umas coragens insanas que me fazem duvidar dos meus direcionamentos." LK

9 de Abril de 2024 | 16:31h

"A verdade é que, em terra de consciências pesadas e pessoas vazias, as verdades soam como indiretas, e a sinceridade é tida como ofensa!" LK

10 de Abril de 2024 | 08:49h

"... E eu te desejo paz. De verdade! A sua projeção sobre a minha vida não é a minha realidade. Eu me liberto da sua vergonha (e da sua dor) e escolho minha alegria. Lamento que tenhamos sido ensinados a ver o remédio como veneno e o veneno como remédio. O que me enoja, na verdade, não é a minha aparência ou a forma como vivo, mas sim a forma como você se trata. E, por extensão, a mim." LK

11 de Abril de 2024 | 11:05h

DIA 103

"... E privação causa compulsão." LK

12 de Abril de 2024 | 12:07h

DIA 104

"O silêncio é..." LK

13 de Abril de 2024 | 10:16h

"... Libertador. O silêncio... Ele te liberta." LK

14 de Abril de 2024 | 10:17h

DIA
106

"Peço proteção para as coisas que eu não vejo, mas sinto..." LK

DIA 107

"... E eu posso ouvir no silêncio." LK

16 de Abril de 2024 | 12:22h

DIA
108

"... E mais do que limpar a casa, é importante LIMPAR A CASA." LK

17 de Abril de 2024 | 10:06h

"Hoje é dia de redenção. E redenção sem julgamento ou projeção descabida. Hoje é dia de redenção e pertencimento." LK

18 de Abril de 2024 | 19:50h

"Saudade a gente sente de pessoas e lugares que ficaram para trás? Não." LK

"Nós não vamos voltar para aquele formato de convivência. Eu sei que você sente saudade da gente, mas esse formato ficou no passado. E eu não sou uma pessoa que costuma viver de lembranças!" LK

20 de Abril de 2024 | 13:12h

DIA 112

"... Eu gostaria de te ouvir no caminho de volta pra casa!" LK

DIA 113

"A maior alegria da minha vida é poder ser quem eu sou, sem pedir permissão." LK

DIA 14

"De todas as vontades: a minha primeiro." LK

23 de Abril de 2024 | 16:13h

DIA 15

"A verdade dói uma vez só!" LK

24 de Abril de 2024 | 17:55h

DIA 116

"Ressaca dá e passa!?" LK

25 de Abril de 2024 | 20:16h

DIA 117

"... E o amor, mais uma vez curando!" LK

26 de Abril de 2024 | 23:39h

DIA 118

"Quanto remorso a gente carrega por ser quem somos? Quantos dias de peito cheio mais são necessários para que a vida seja leve?" LK

27 de Abril de 2024 | 17:09h

"Eu estou extremamente orgulhoso de quem eu me tornei!" LK

"O tanto que o sol & o verão me deixam feliz não está escrito." LK

"A casa fica com um cheirinho de amor depois que a gente assa um bolinho, né?" LK

"Dias ruins são para lembrar dos bons... Sem comparação não há validação." LK

"Solitude sempre foi e sempre será ambíguo para mim!" LK

2 de Maio de 2024 | 10:20h

DIA 124

"... Diferente de solidão. Essa eu tenho pavor!" LK

DIA 125

"E no meio do caminho, eu encontrei outro propósito. Um antigo-novo propósito: cuidar do meu templo mais sagrado." LK

DIA 126

"... E deitado no meu colo, o meu sentimento mais profundo: o medo." LK

5 de Maio de 2024 | 10:24h

DIA 127

"Eu sou melhor quando não recuo e tenho como norte a verdade para as minhas relações." LK

6 de Maio de 2024 | 10:30h

DIA 128

"Quando a gente se coloca em primeiro lugar, em segundo e em terceiro, não tem como errar..." LK

7 de Maio de 2024 | 10:32h

DIA 129

"Para eu significar alguma coisa, eu escolhi dar luz à você! E eu só tinha dez aninhos... mas já cuidava de mim mesmo." LK

"O propósito das pontes é bem claro, não é?"
LK

9 de Maio de 2024 | 19:28h

"... Acontece que muitas vezes, as pontes conduzem pessoas e sentimentos que a gente não gostaria que cruzassem determinadas fronteiras!" LK

10 de Maio de 2024 | 19:29h

DIA 132

"Quando a gente se apresenta novamente, queimar algumas pontes se faz necessário!"
LK

DIA 133

"Queimar pontes não é apenas um ato de destruição, mas uma declaração de liberdade; escolher se afastar de relações tóxicas é o primeir passa para abraçar o amor próprio."
LK

12 de Maio de 2024 | 19:32h

DIA 134

"Esperar pelo outro é um gatilho insuportável pra mim!" LK

DIA 135

"Meu anjo? Ninguém é obcecado por pobre, não... Acorda! Esse papo de que as pessoas não tiram você da cabeça é loucura sua! Entra em análise, flor do campo!" LK

14 de Maio de 2024 | 10:16h

DIA 136

"... Eu encontro paz nas escolhas que eu faço." LK

DIA 137

"Em algum momento... {respira} Ou a gente quebra aquele padrão, ou o padrão quebra a gente!" LK

16 de Maio de 2024 | 10:13h

"A arte vai curando a gente aos pouquinhos... Do rabiscado ao grito; do agudo ao grave; da dor à cura." LK

17 de Maio de 2024 | 00:35h

"Os artistas precisam não se encaixar para serem disruptivos." LK

18 de Maio de 2024 | 13:25h

"Eu venço todos os dias sendo fiel à minha arte!" LK

DIA 141

"Eu me sinto cansado de repetir comportamentos que são auto-destrutivos." LK

DIA 142

"Eu não posso viver me responsabilizando pela maneira como você me vê. Problema seu que você se decepcionou comigo." LK

DIA 143

"Você ainda quer saber? E não quer perguntar?" LK

22 de Maio de 2024 | 09:09h

DIA 144

"... Perguntei, respondi, gritei, chorei, aliviei, sorri, curei." LK

DIA 145

"Suor e lágrimas resolvem 90% das nossas vidas!" LK

24 de Maio de 2024 | 11:32h

"A verdade é que tudo passa..." LK

DIA 147

"Desconforto é sinal de alerta. Geralmente, ele precede situações de dor. Em momentos de desconforto, caia fora." LK

DIA 148

"Rearranjos de vida são assim: dolorosos e necessários. Quase como tirar os pontos de uma sutura que ainda não cicatrizou." LK

DIA 149

"O problema de entender que trauma não se cura, trauma cicatriza, é que você passa a olhar para isso com mais frequência e, por consequência, revive alguns cenários dolorosos em momentos em que gostaria de esquecê-los." LK

28 de Maio de 2024 | 09:31h

"Em algum momento de nossas vidas, precisamos começar a tomar de volta tudo aquilo que nos foi tirado. E eu estou tomando tudo o que é meu de volta! Ninguém põe a mão mais." LK

29 de Maio de 2024 | 21:39h

"Nós somos uma casta de diferentes!" LK

30 de Maio de 2024 | 15:13h

DIA 152

"... A psicologia veio para me salvar, para me dar as ferramentas para entender que ninguém é normal! Quando todo mundo encosta a cabeça no travesseiro, todos se deparam com seus demônios. Então, a análise me mostrou que eu não estou sozinho arrastando correntes!" LK

1 de Junho de 2024 | 15:16h

DIA 153

"Se você não dá conta de raios e trovões,
não crie tempestades." LK

"O quanto de você é preciso para esvaziar um balde cheio de emoções?" LK

3 de Junho de 2024 | 19:20h

DIA 155

"Eu só posso me preocupar com o que eu controlo. O que está fora do meu controle não deve receber a minha demanda de energia. Eu não posso ser cruel a esse ponto com a minha disponibilidade." LK

"É preciso ter orgulho de quem se é, da trajetória percorrida, das conquistas realizadas, dos processos vencidos. É preciso sentir orgulho de si mesmo todos os dias, sorrir para o hoje, viver o presente para que a existência valha a pena." LK

5 de Junho de 2024 | 17:10h

"... E além do orgulho, sinta-se à vontade para ser quem você é. Estamos vivendo momentos decisivos e não sabemos por quanto tempo mais teremos a mesma qualidade de vida. Seja você." LK

6 de Junho de 2024 | 11:37h

"Entender os nossos limites é fundamental para que a vida possa ser saudável." LK

7 de Junho de 2024 | 15:58h

"... Com um pouquinho a mais de amor, a gente chega lá!" LK

8 de Junho de 2024 | 18:19h

"Criatividade vem de muitos lugares, as vezes vem da diversão, as vezes vem da tristeza, as vezes vem do silêncio, as vezes vem do barulho ensurdecedor... E cada um tem seu lugar, e merece a nossa atenção." LK

9 de Junho de 2024 | 18:19h

"... Em alguns momentos de nossas vidas, é preciso pegar as rédeas e bancar nossas vontades. Nada lá fora é tão forte quanto a nossa vontade de dar vida aos nossos sonhos." LK

10 de Junho de 2024 | 19:49h

DIA
162

"A maior dificuldade do jovem adulto é encontrar equilíbrio nas reações. É oito ou oitenta para tudo. Essa onda de exposição à dopamina sem interrupção tem nos deixado sem estopim. Não se digere mais nada." LK

"O que é o amor? O que te faz se sentir amado? Qual a relação que você tem com o amor? Você sabe o que é amar? Você já foi amado? Você sabe diferenciar amor de paixão? Paixão faz parte do amor? Você se relaciona para amar?" LK

DIA 164

"No orgulho e na cura, o silêncio é a nossa maior e mais eficaz ferramenta. Enquanto não puder falar com amor, fique em silêncio." LK

"Quando você está me ouvindo, você me escuta?" LK

"A vida já é, né? Pois é... E arriscar faz parte." LK

"O importante é criar novas experiências para não ficar vivendo de memórias. É tempo de viver!" LK

"... A gente sempre sabe o que quer, o que deseja!" LK

17 de Junho de 2024 | 13:12h

DIA 169

"Caminha o teu caminho!" LK

18 de Junho de 2024 | 13:12h

DIA 170

"A imensidão de um sorriso e a cumplicidade de uma gargalhada são pilares de um bom relacionamento. Nada é mais saudável do que uma gargalhada!" LK

"Seja grato pelo dia, pela saúde, pelos amigos, pela família, pela oportunidade de mais um momento ao lado de quem você ama! Seja grato pelos detalhes. Seja grato." LK

DIA 172

"Aproveite o sol, o verão, toma um pouco de vitamina D." LK

21 de Junho de 2024 | 19:24h

"Abrace o seu amigo, a sua amiga, o seu amor, deixe de coisa." LK

22 de Junho de 2024 | 19:30h

"... Não existe coisa melhor do que um banho de mar, depois de tomar sol na beira da praia!" LK

23 de Junho de 2024 | 13:21h

"Até quando passa, não vai embora. As nossas vivências vão ficar para sempre tatuadas onde dói... E entender isso é a chave para viver em paz." LK

24 de Junho de 2024 | 11:30h

"Você precisa se lembrar constantemente de quão bom é o seu coração. Deixe o mundo achar o que quiser... Se você olhar no espelho e gostar do que vê, tá tudo certo!" LK

"No lugar certo e na hora certa, eu me devolvi a mim mesmo. E é um exercício maravilhoso se devolver para si mesmo: é honesto e justo ser quem se é." LK

"É hora de agir! A ação é a concretização do verbo, sendo este o elemento que dá vida e movimento às palavras. Essa interdependência é o que permite a vida acontecer." LK

"E por mais que a gente trabalhe para curar essa ressaca, ela continua ecoando em nós, até que a gente cuspa tudo pra fora. Passe por ela de peito aberto, remova seu ego, fale as suas verdades, deixe o outro lidar com quem você é de verdade." LK

28 de Junho de 2024 | 16:52h

DIA 180

"Eu luto todos os dias para que eu possa exercer o meu direito de existir. Em todos os lugares, busco trazer a minha essência. Por muito tempo, eu me escondi em sorrisos mentirosos e em concordâncias irresponsáveis. Eu menti demais para mim mesmo... E esse é o pior tipo de traição. Por muito tempo, eu fui de mentira, mas hoje eu sou de verdade. Este sou eu, 100% honesto comigo. Hoje é dia de vitória, depois de tanta luta. Já chega de tanto luto." LK

29 de Junho de 2024 | 10:33h

Momento de Despedida?

Ao longo desta canetada, explorei as emoções que surgiram após uma grande decepção. Cada momento de dor, raiva, aceitação e crescimento foi uma parte vital do processo de cura. Agora, à medida que me aproximo do fim deste livro, quero compartilhar com vocês uma transição importante. Assim como as ondas do mar representam os altos e baixos emocionais, a música se tornou uma nova forma de expressão para mim. Esta é a minha transição do mar para a música, uma jornada de ecos. E é sobre isso que vamos conversar num próximo encontro.

Eu sempre usei o mar como um reflexo das minhas emoções, com suas marés inconstantes e ondas imprevisíveis. Ele simbolizou a turbulência interna e os momentos de calma que experimentei ao longo desta jornada. Ao olhar para o horizonte e ver o pôr do sol, encontrei um sentido de encerramento. Cada pôr do sol era uma promessa de que, mesmo após o dia mais difícil, haveria uma nova manhã. Mas agora, é hora de deixar o mar para trás e encontrar uma nova forma de expressão que ressoe com meu processo de superação.

Assim como as ondas têm um ritmo natural, a música possui uma fluidez que toca profundamente nossas almas. Imagine as ondas se transformando em notas musicais, cada maré criando uma melodia única. A música, assim como o mar, pode expressar dor, alegria, esperança e desespero. Ela tem o poder de contar nossas histórias sem usar palavras, proporcionando um novo meio para explorar e entender nossas emoções.

A música tem um poder mágico. Uma simples melodia pode trazer à tona memórias esquecidas, emoções profundas e sentimentos que pensávamos ter superado. As notas flutuam no ar como ondas invisíveis, tocando nossas almas e ressoando em nossos corações. A música é uma linguagem universal, compreendida por todos, muitas vezes sem palavras. Ela transcende barreiras e nos conecta em um nível profundo e emocional.

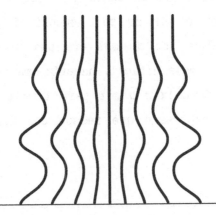

A música sempre esteve presente nos momentos mais difíceis e nos mais felizes da minha vida. Ela tem a capacidade de curar, de elevar o espírito e de transformar a dor em algo belo. Cada melodia é uma jornada, cada canção uma história. Ao enfrentar o luto, encontrei na música uma nova forma de expressão. As notas se tornaram minhas palavras, os acordes, meus sentimentos. A música me ajudou a navegar pelas águas turbulentas das minhas emoções, trazendo-me conforto e clareza.

A música tem um ritmo, uma cadência que pode acalmar ou agitar. As batidas de um tambor podem lembrar os batimentos cardíacos, simbolizando a vida e a continuidade. As melodias suaves podem ser como um bálsamo para a alma, enquanto as notas agudas podem expressar dor e angústia. A música pode nos levar a lugares profundos dentro de nós mesmos, nos ajudando a confrontar nossas emoções e a encontrar uma maneira de expressá-las.

Assim como componho uma nova música, comecei a compor uma nova vida. Cada decisão, cada passo, cada pensamento é como uma nota em uma partitura, contribuindo para a harmonia da minha existência. Os instrumentos da vida - amigos, família, amores - são como os instrumentos de uma orquestra, ou de uma banda pop, cada um com seu papel essencial. Juntos, eles criam um som de superação e resiliência. A música me mostrou que, mesmo após as maiores tempestades, é possível criar algo BOM e significativo.

A música é um constante fluxo de emoções, uma combinação de harmonia e dissonância, que espelha a nossa jornada. Há momentos em que tudo se alinha perfeitamente, criando uma melodia doce e agradável. Em outros momentos, as dissonâncias surgem, desafiando nossos ouvidos e nossa compreensão. Mas é essa mistura de harmonia e dissonância que torna a música tão poderosa, assim como nossas vidas são enriquecidas pelos altos e baixos emocionais que enfrentamos.

A música tem a capacidade de transformar nossas emoções mais profundas em algo tangível, tocável, algo que pode ser compartilhado e compreendido por outros. Quando ouvimos uma canção que ressoa conosco, sentimos uma conexão imediata com o artista e com as emoções que ele ou ela está expressando. Essa conexão nos lembra que não estamos sozinhos, que outros também passaram por experiências semelhantes e encontraram uma maneira de superá-las.

Enquanto eu escrevia este livro e compunha música, percebi que estava criando uma narrativa para minha vida. Estava transformando minha dor em algo belo (e bom), algo que poderia ser compartilhado e apreciado por outros. Cada canetada era uma peça de um quebra-cabeça maior, uma parte de minha jornada artística. Ao compartilhar meus textos e minha música com os outros, encontrei um novo senso de propósito e de conexão. Um eco da minha ressaca, que começou a gritar em forma de música.

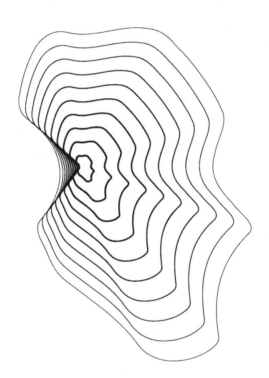

A música também me ensinou a importância de estar presente no momento. Quando estamos completamente imersos em uma melodia, perdemos a noção do tempo e do espaço, focando apenas nas notas e nos acordes que estamos criando. Essa sensação de estar presente no momento é incrivelmente poderosa e nos ajuda a encontrar paz e clareza em meio ao caos emocional. Isso também serve para as nossas relações interpessoais.

Ao refletir sobre minha jornada, percebi que a música havia se tornado uma metáfora poderosa para minha vida. Assim como uma canção é composta de diferentes notas e ritmos, minha vida era composta de diferentes experiências e emoções. Havia momentos de alegria e tristeza, de harmonia e dissonância, mas todos esses momentos juntos criaram uma sinfonia única. Essa playlist maluca.

Ao encerrar este capítulo da minha vida, quero compartilhar uma última reflexão com vocês. A vida é uma composição constante, uma dança entre a luz e a escuridão, entre a dor e a alegria. Cada experiência que enfrentamos, cada emoção que sentimos, é uma parte essencial dessa composição. Ao encontrar a harmonia interna e expressar nossas emoções de maneiras autênticas, podemos criar uma vida que ressoe com beleza e significado.

Encontrei harmonia interna, tanto nas ondas do mar quanto nas melodias da música. Cada experiência, cada dor, cada alegria, contribuiu para a sinfonia que é minha vida. Agora, ao me despedir deste capítulo, convido você a encontrar sua própria melodia de superação.

Obrigado por me acompanhar nesta jornada. Que você continue a encontrar beleza e força, tanto nas ondas do mar quanto nas notas da música.

Que sua vida ressoe e reverbere com harmonia e paz. Até nos encontrarmos novamente, que a música da sua vida seja sempre uma fonte de alegria e inspiração.

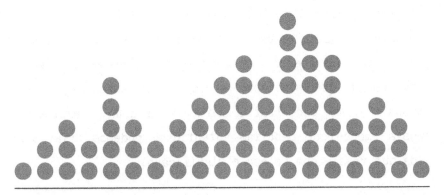

QUERIDA RESSACA,

ACORDAAAAA!

"MEU INFERNO SÃO OS OUTROS"

A VERDADE DÓI UMA VEZ SÓ, E EU POSSO PROVAR!

Meu nome é Leandro Krauss e atualmente moro em Nova Iorque, nos Estados Unidos. Natural de Umuarama, no Paraná, vivi 17 anos da minha vida em Tuneiras do Oeste. Sou formado em Farmácia desde 2011, mas meu grande sonho sempre foi ser artista. E artista eu sempre fui. Meio no armário? Opa! Culpa do meu signo. Eu sou canceriano.

QUANTO DE VOCÊ É PRECISO PARA ESVAZIAR UM BALDE CHEIO?

A maior mentira que contamos para nós mesmos e para os demais é que os problemas das nossas vidas são culpa deles, o famoso: "Meu inferno são os outros". Na verdade, somos responsáveis por absolutamente tudo que acontece em nossa existência. Portanto, siga em frente, o mundo não te deve nada.

"RESSACA" é o primeiro livro de uma trilogia que venho escrevendo desde dezembro de 2023. Esta obra é uma manifestação emocional, extremamente orgânica, de uma passagem da vida. Eu abordo oito momentos importantes que passamos de maneira cronológica após sofrermos uma decepção. E talvez, mas somente talvez, este livro possa te ajudar a lidar com a sua ressaca. Eu sei que você está no meio de uma. Ah! Eu já ia me esquecendo: procurem um profissional de psicologia e façam terapia. PRA ONTEM.

RESSACA ECOS SILÊNCIO

Made in the USA
Middletown, DE
16 July 2024

57327529R00137